D0444328

岸本斉史

主(おも)な登(とう)場(じょう)人(じん)物(ぶつ)
うずまきナルト
うちはサスケ
春野(はるの)サクラ

カカシ

白（ハク）

再不斬（ザブザ）

タズナ

木ノ葉隠れの里、忍術学校の問題児だったナルトもカカシ先生のサバイバル演習を無事にパス。サスケ、サクラとともに晴れて忍者の仲間入りを果たした。

下忍（見習い忍者）になったナルトたちに大仕事の依頼が来た。ナルトたちは波の国に戻る橋作りの名人、タズナの護衛にあたることになった。しかしタズナは悪徳商人、ガトーに命を狙われていた。波の国を目前にしたナルト一行に抜け忍、再不斬が迫る。再不斬はカカシの写輪眼の前に敗れたかに見えたが、止めを刺した謎の少年の手で仮死状態にされていただけだった…。新たなる戦いの予感の中、ナルトたちの修業が始まった!!

NARUTO
-ナルト-

巻ノ三

夢の為に…!!

18：修業開始

木登りー!!?

そうだ…

つまんなそーー！

そんなことやって修業になんの？

まぁ話は最後まで聞け

ただの木登りじゃない！
手を使わないで登る

！
おもしろそ〜〜〜！
？どうやって……….

ま！…見てろ
サッ

ブーン

ガッ!

！

!!
タ
タ

…………
登ってる……
足だけで垂直に…

よいしょ
…とまあこんな感じだ

チャクラを足の裏に集めて木の幹に吸着させる
チャクラは上手く使えばこんなことも出来る

ちょっと待って！木登りを覚えて何で強くなれるのよ！

ここからが本題
まあ聞け

この修業の目的は…

まず第1に
チャクラの〝調節〟を
身につけることだ

練り上げたチャクラを
必要な分だけ
必要な箇所に…
これが
術を使うにあたって
最も肝心なことであるのは
さっきも言ったが

案外 これが
熟練の忍者でも
難しい

この〝木登り〟において
練り上げなくてはならない
チャクラの量は
極めて微妙…
身体エネルギー
＋
精神エネルギー
さらに 足の裏は
チャクラを集めるのに
最も困難な部位と
されている

ま！
つまりは…
この〝調節〟を極めれば
どんな術だって
体得可能になるわけだ
理論上はな！

ず
う

第2の目的は足の裏に集めたチャクラを維持する"持続力"を身につけることだ…

様々な術に応じてバランス良く"調節"されたチャクラを
そのまま維持することはもっと難しい

その上忍者がチャクラを練るのは
絶えず動き続けなくてはならない戦闘中がほとんどだ
そういう状況下チャクラの"調節"と"持続"はさらに困難を極める

だからこそ木に登りながら・・・
チャクラのノウハウを修得する修業をするってワケ!

スウッ
…とまぁオレがごちゃごちゃ言ったところでどーこーなる訳でもなし…

体で 直接
覚えてもらうしか
ないんだけど

!
!
!
ガッ
ガッ
ガッ

今 自分の
力で登りきれる
高さの所に
目印として
そのクナイで
キズを打て

そして その次は
その印よりさらに上に
印を刻むよう
心がける
お前らは
初めから歩いて
登るほど
うまくはいかないから
走って勢いにのり
だんだんと
ならしていく
……いいな!

こんな修業オレにとっちゃ！
朝めし前だってばよ！
パシッ
なんせオレってば今一番伸びてる男！
……
ごたくはいいから
お前ら早くどの木でもいいから登ってみろ
よーしィ
まずは足の裏にチャクラを集めるんだったな…
ムムー!!
ブウン…
よっしゃ―!!
いっくぞォ―!!
ダッ
ダッ

ツル

いっつてエー!!!

ダッ

ダッ

ダッ

クルン
スタ
ザッ…
…一定のチャクラを維持するのがここまで難しいとは…

へへへ

サクラちゃん!!

今一番チャクラのコントロールがうまいのは

どうやら女の子のサクラみたいだな…

いやー――!
チャクラの知識も
さることながら
"調節""持続力"ともに
なかなかのもんだ
この分だと…

火影に一番
近いのは
サクラかなァ…
誰かさんとは
違ってね

それに
うちは一族
ってのも
案外 たいした
ことないのね
ピク

うるさい
わよ!!
先生ってば
!!
サスケ君にキラワレちゃうじゃない!

とは言っても…
ナルトとサスケ…
こいつら サクラとは
比べものにならない
チャクラの量を
秘めている…

この修業が
うまくいけば
……これが大きな
財産になる…

よーーしイ！
まずは サスケに
追いついてやる！
やってやる
ってばよ!!

………

ザッ

フン！
あんなこと
しても
ムダなのに…

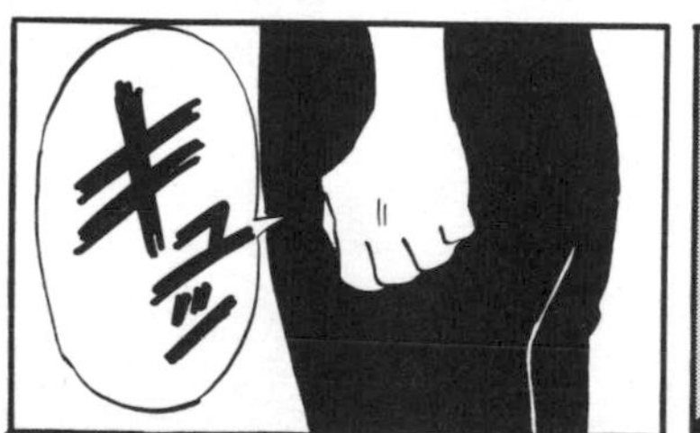
キュッ

ガチャ
あんたまでやられて帰ってくるとは
ガトー専属ボディーガードの侍
ワラジ
霧の国の忍者はよほどのヘボと見える!!
同じくガトー専属ボディーガードの侍
ゾウリ

部下の尻ぬぐいも出来んで何が鬼人じゃ…
笑わせるな
………
ズイッ
ピタッ!!
居合いか…?
まぁ待て…
スゥ
なぁ…
テクテク
黙っていることは無いだろ……
スッ…

何とか…
!
ガッ!
ギリギリ
汚い手で再不斬さんにさわるな……
ぐっ!お前…

!!

!!

バ…バカな…
一瞬で…移動した…

やめたほうがいいよ…
僕は怒っているんだ

化け物がよ…
ゴクッ
次だっ…
次 失敗をくりかえせば…
刀…オレの刀
オラ いくぞ
スッ…
ガシャ!
ここにお前らの居場所はないと思え!!
バタン!
スッ
白… 余計なことを…
分かっています…
ただ 今ガトーを殺すのは尚早です
ここで騒ぎを起こせば また 奴らに追われることになります
今は我慢です
…ああ
……そうだな

ウォオオ…
いってェ――!!

ドロ
ドロ
ハア
ハア
ハア
ピク
ピク

ハア
ハア
ハア

ハア
ハア
ハア
ハア

…もう
ヘトヘトよ!
2人とも
なんてスタミナ
してんの…
ハア
ハア
でも
ナルトの奴
全く上達してないわね…
そろそろ
あきらめて
ダダこねはじめるわね
きっと…
くっそー!

くそ！

ザッ

ホラね！
性格の
読みやすい奴ね
まったく
ホン…

あのさ！
あのさ！
コツ教えて
くんない！

え？

アイツは
どんどん
強くなるな…

どこまで
強くなるか…

…なんせ ナルト…
お前のチャクラの
潜在的な量はおそらく
サスケ以上…
そして…

このオレすら
超えている…

楽しみだよ… 全く…

ナルトと同じく孤独を知る少年。

［初期メインキャラクターのスケッチ］

ここにあるのはサスケの初期イメージ。今とほとんど変わってないです。変わったといったら首飾りを無くしたぐらい。どのキャラもそうですが、キャラをイメージしてスケッチを描き起こしていくと、どんどん線を増やして描きこんでいくし、飾りをつけたがってしまって、ごてごてした感じになってしまいます。
特にメインキャラクターともなると気合いが入りまくって、肩に力が入ってしまって…、後で〝こんなにラインの多いキャラ、週刊連載で描いていけるのか…。ホントに…〟と自分でツッコミを入れてしまうほど。

サスケもそんな感じで描きこみすぎたのでラインを減らしてナルトのイメージとは対照になるよう作りました。

ボクから言わせるとサスケというキャラは顔も動きも一番描きづらいキャラで、気を抜くと子供のくせに顔がお兄さんみたいになってしまいます。子供で流し目の二枚目キャラなんて、今までボクのマンガの中に出てこなかったタイプなので描きづらくて…。
今でも一番目に気を使うキャラです。そのせいか一番愛着のあるキャラにもなってきました。

19：勇気の象徴

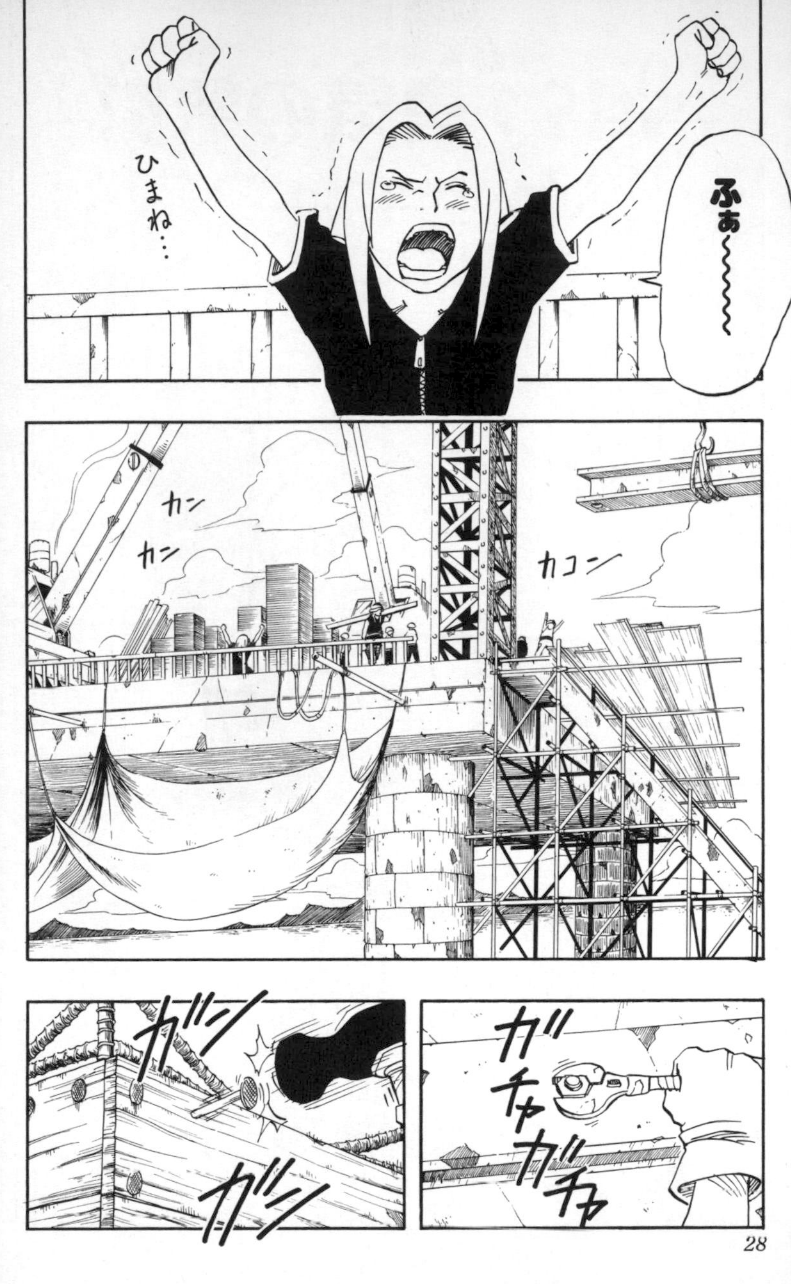
ふぁ〜〜〜〜〜
ひまね…
カン
カン
カコン
ガツン
ガツン
ガチャ
ガチャ

ザッ

一人でヒマそうだな

あのキンパツ小僧とすかした小僧はどうした?

修業中
お前はいいのか?

私は 優秀だから
カカシ先生がおじさんの護衛をしろって!

ホントか……?
………

よっと
ちょっと いいか
………タズナ

ん…
どうした
ギイチ？

色々考えて
みたんだが…
橋作り…
オレ
降ろさせて
もらっていいか
………

な… なんで
じゃ!?
そんな急に
…お前まで!!

タズナ！
あんたとは
昔ながらの縁だ
協力はしたいが
ムチャをすると
オレ達まで
ガトーに目を
つけられちまう！

それに
お前が殺され
ちまったら
元も子もねェ！

ここらで
やめにしね
——か…
…橋作りも…

………

そーは
いかねーよ

この橋は
ワシらの橋じゃ
資源の少ない
この超貧しい波の国に
物流と交通を
もたらしてくれると
信じて
町のみんなで
造ってきた
橋じゃ

けど 命まで
とられたら…
もう 昼じゃな…
今日は
これまでにしよう

ギイチ……
次からは もう
来なくていい

ゾロ
ゾロ
仕事
何でもやり
ます

待てー
ドロボー!!
キョロ
キョロ
帰りに昼めしの
材料をたのまれ
とったからな…

何なの…
この町……

まだ 子供じゃない…
おお
ここじゃ

八百屋
小便するな
いらっしゃい
ほとんど何もないじゃない……

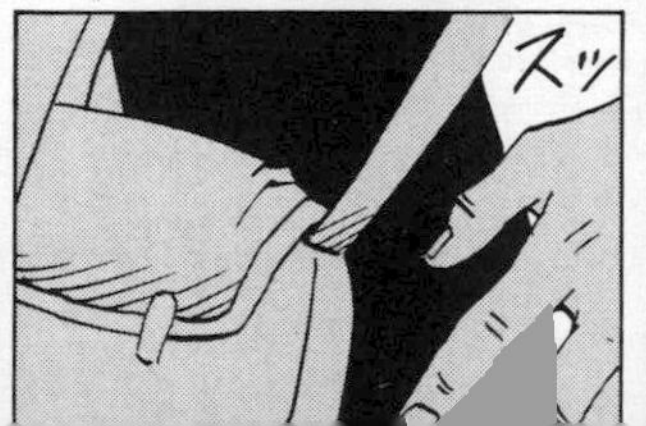
スッ

ビクッ!!

キャー!!
チカーン!!
ち…
ちが…
いやー
さっきは超びっくりしたぞい
いったい この町どーなってんの…？
ピク
!?
また？
クイ
!

ハアーー
ガトーが来てからこのざまじゃ
ダッ
ここでは大人はみんなふぬけになっちまった…
……
だから今…あの橋が必要なんじゃ…
勇気の象徴…
無抵抗を決め込んだ国の人々にもう一度「逃げない」精神を取り戻させるために
あの橋さえ…
あの橋さえ出来れば…
町はまたあの頃に戻れる…
みんな戻ってくれる…
サスケ君……
ナルト…

どああああ!!

ズダ!
グラ
カッ
!
ダダダダダ
くそ!!
くそ!!
ハァ
ハァ
ハァ
サスケの奴まだ登ってやがるってばよ……!!

ガッ
グラ
ズッ
!
タッ!
タッ!
タッ
チイ……!
くそ…!
だんだん
追いつかれ
てんな……

ちっくしょー！
ザザザッ

って！ダメ！ダメ！サスケなんかに気をとられて
ブンブン
精神が乱れるってばよ

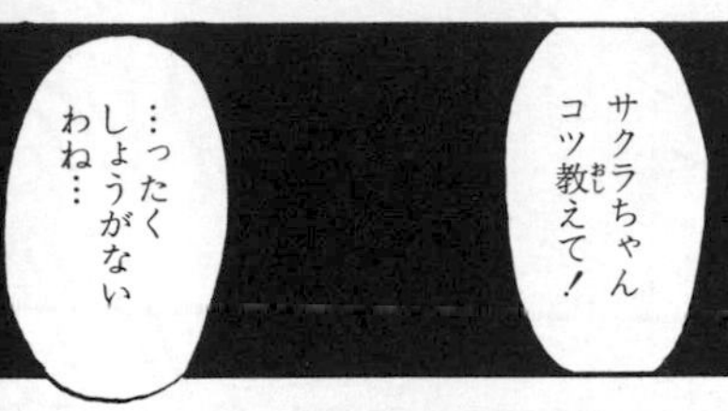
サクラちゃんコツ教えて！
…ったくしょうがないわね…

いい？チャクラってのは精神エネルギーを使うんだから気を張りすぎたりやっきになっちゃダメよ
絶えず一定量のチャクラを足の裏に集めるようにリラックスして木に集中すんのよ！

集中！集中！よーしいい感じだってばよ！

よーしィ！いける！

オイナルト！
ズゴーン

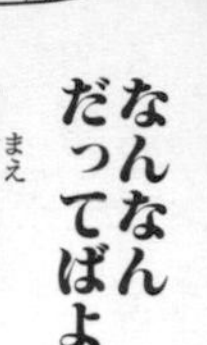
なんなんだってばよ
お前は！

やんのかコラー！
集中してんのに邪魔すんな!!

ガバッ

……
そ…その……なんだ

な……なんだよ！
こいつがオレに話しかけるなんて珍しーな…

サ…
サクラ お前に何て言ってた…？

!?

ニヤ〜〜

教えなーい!!
！
ピク

……
し〜〜ん

いやーー
超楽しいわい
こんなに大勢で食事するのは久し振りじゃな！
カチャ
カチャ
ガツ
ガツ
ガツ
ガツ
スッ
おかわり！
スッ
バチ
バチ
！
うっ！
？
……
吐くんなら食べるのやめなさいよ！
ガタ
ハァ
ハァ
ハァ
ハァ
…いや
食う！

我慢してでも食わなきゃ
早く強くなんなきゃなんねーんだから

うんうん！
けど吐くのは違うぞ♡

あの～なんで破れた写真なんか飾ってるんですか？

イナリ君食事中ずっとこれ見てたけど
なんか写ってた誰かを意図的に破ったって感じよね
！

！

………

……夫よ

……かつて……
町の英雄と呼ばれた男じゃ…

ガタ…

スッ

イナリ！どこ行くの…!?

バタン!!

イナリ！

バタン

父さん！
イナリの前では
あの人の話はしないで
って…　いつも…！

………
イナリ君
どうしたって
いうの？

何か
訳ありの
ようですね…
……

……
イナリには
血の繋がらない
父親がいた……
超仲が良く
本当の親子の
ようじゃった…
あの頃のイナリは
ほんとに　よく
笑う子じゃった…

プル プル
?

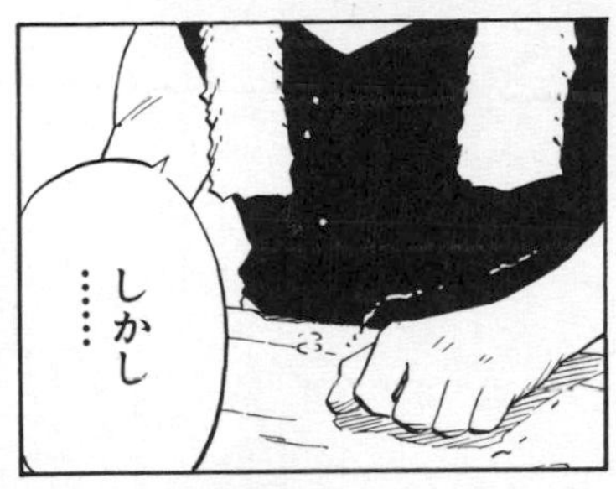
しかし……

…しかし イナリは 変わってしまったんじゃ……
…父親の あの事件以来……

ナンバー20：英雄のいた国…!!

この島の人間…そして
イナリから〝勇気〟という
言葉は永遠に奪い取られて
しまったのじゃ

あの日…
あの事件を
きっかけに…

3年ほど前のことじゃ…
ポチー!!
イナリとその男は出会った
違う!!こいつの名前はシューティング・スター…今日からオレの犬だ!!
シューティング・スターじゃない!!ボクのポチだー!!
返せッ!!
ムカ!
ポチはボクの友だちなんだ!
だれがお前なんかにやるもんかぁー!!
ウルッセー!!
……………
ザザァ
ニヤ
ポイ
ワン!?
フン!

ドッボーン
!!
バシャバシャ
ポチーー!!
ヴォエブ! ヴォエブ!!
へへっ…お前が大人しく渡さないからだぜ
もうあんな犬どうでもいいさ!
おい!!イナリを放してやれ!
なっ…なんてことすんだポチを殺す気かーー!!
ヘッ!!お前の大切な犬っころなんだろ
助けてやれよ早く!!
ぐっ…
どーしたよほら…
ポチが死んでもいいのかよ!!

死んでいいわけあるか!!
ボクのたった一人の友だちなんだぞ!!
バシャ バシャ
でも…でも…
ゴメン…ポチ…
ガタガタ
ボク泳げないいんだ…
オラ!!飼い主なら飛び込んでみろよ!!
ズッ
!
うわぁっ!!
ドカッ
ま…まずいっすよアカネさん…こいつ泳げなかったら…
ザボー
ごぼッ…だっ…だずげ……!!

放っておけよ
でッ…　でも…
なんなら今度は　お前がペットを助けにいくか？
うぼっ!!
しっ…死にたくないっ…
だっ…誰か助けて……!!
バシャ
!
ワン!!
ボ…ボチィ──!?
バタ
バタ
カキ
カキ
余談ではあるが──
ボチィ──!!!
ポチは　この時犬かきを憶えたのだった…
ボチィー!!
スー
バシャ!

ブルブル
うわっ!!
あっ!!
シューティング・スターが逃げたぞー!
追えーー!!
ワン!
ポッ……ポチィー!!
ああ…
ブクブク
ゴボッ
ぐっ…ぐるじい
もうダメだ…
ボクは……
死ぬ…
カッ!
パチ
ムク
!!
気がついたかボウズ…

パチ
パチ
あの悪ガキどもはオレがモロしかっといてやったからな
…ほら食え！
……神様？
んーん……
……
おじちゃんがボクを…助けてくれたの!?
…それにしてもお前…モロいじめられとったのう!!
…そうか犬にも裏切られたか…
オレの国じゃ犬ってのはモロ義理堅い生き物じゃけどな…
ハグハグ
パチ
パチ
まぁお前の方が先に犬の信頼を裏切っちゃったんじゃ仕方ねぇな…
しゅん
…………！

怖くて体が動かなかったんだ…
グスッ
！
…………
助けてあげたくって…
でも…ボクには勇気が無いから…
ポン
…そりゃそうだ…お前ぐらいの子なら誰だって怖いに決まってる
ストッ
でもな…ボウズこれだけは憶えとけ
…男なら後悔しない生き方を選べ…
？
え…？

自分にとって本当に大切なものは…
つらくても悲しくても…頑張って頑張って
グッ
たとえ命を失うようなことがあったってこの2本の両腕で守り通すんだ!!
ポッ
…そしたらたとえ死んだって男が生きた証はそこに残る…
永遠に…
だろ!?
ハハちょっとクサイかな…
ウン!!

お前やっと笑ったな!
ホラ 食え 食え!!
あう!
名をカイザと言い 国外から夢を求めて この島に来た漁師じゃった…
それ以来 イナリはカイザに なつくようになった
ギュ!
ギュ!

このままだとD地区がつかっちまう!!
なに!!
父ちゃん!
ドドドドド
イナリ奥行ってロープを!
うん!
だめだ堰にロープをかけて引っぱるしかねーが…
ムチャ言うな!どーやってロープをかける!!
こんな激流の中に入っちまったら死んじまうぞ!
けどぐずぐずしてたらD地区が全滅だ…どーしたら…
オレがやる
ザザザ

カイザ!!
ムチャだ
やめろ!
死んじまうぞ!
いくらお前でも
ダメじゃ!
父ちゃん!!
心配すんな…
父ちゃんは
無敵だ
バッ!
スッ!
………
父ちゃんは
イナリのいる
この町が
大好きだからな
スッ

ザバ〜〜〜ン!!
カイザ!!
ザバッ
自分にとって本当に大切なものは…
たとえ命を失おうと…
この2本の両腕で…
守り通すんだ!!
父ちゃんガンバレ———!!
ヤッター!! ロープがかかったぞ
よし みんなで引けー!!
それからじゃ…

国の人々は
カイザを
英雄と呼び
イナリにとって
カイザは
胸を張って誇れる
父親じゃったんじゃ
…しかし
ガトーが
この国に来て
………

…そこで
・・・ある事件が起きた…

……

！

いったい…
何があったん
です…？

カイザは
皆の前で…
ガトーに
公開処刑
されたんじゃ！

プル
プル
……

え？
いいか！
この男は
我がガトーコーポレーションの
政策に武力行使で
テロ行為を行い
……
うっ…
この国の
秩序を乱した
よって 制圧し
これより処刑する
！
ガヤ
ガヤ
ガヤ
二度と こんな
つまらぬことが
起きぬよう
私も
願うばかりで
ある！
父ちゃん!!
イナリ！
ガシャ

やれ…
クル
チン
スッ
父ちゃ――ん!!
ボクを…国の人を…
2本の腕で守るって…
守るって言ったじゃないか――!
………
父ちゃんのうそつき――!!
それ以来イナリは変わってしまった…
そしてツナミも…
町民も…

ヒーローなんて
バッカみたい
そんなの
いるわけない
じゃん！

うっ…
うっ…
父ちゃん…

ガタ

！

！
何やってんの
ナルト…
ド
サッ
イテ！

……
修業なら
今日は　もう
やめとけ
チャクラの
練りすぎだ
これ以上動くと
死ぬぞ

証明してやる…
?
何を?
このオレが…この世に英雄がいるってことを
証明してやる!!

21：
森の中の出会い…!!
──修業開始から6日目の朝
スー
スー
チュン
スッ…

チュン
プチ

チュン
チュン

バサ

!
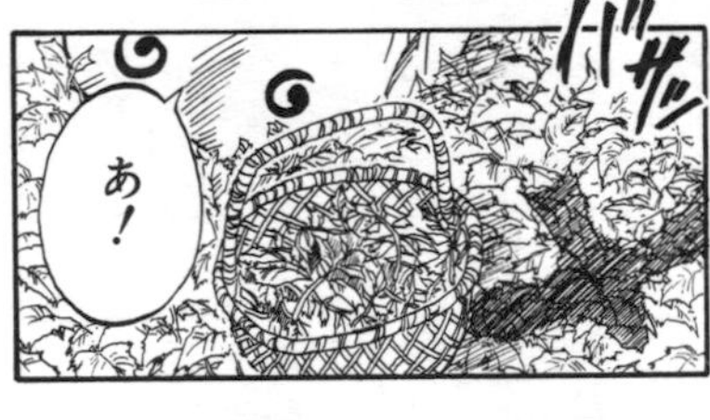
ガザッ
あ!

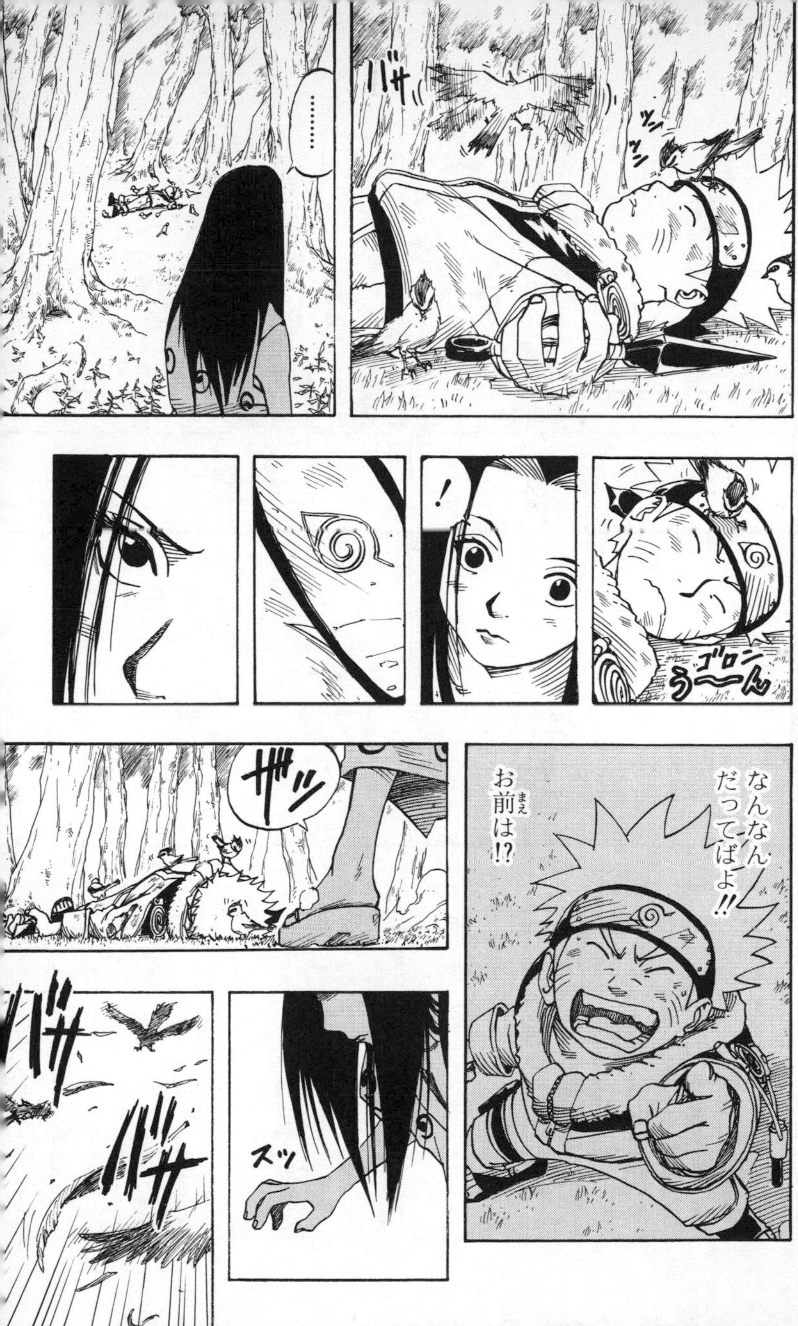

バサ
ツン
ツン
……
ゴロン
う〜ん
!

なんなんだってばよ!!
お前(まえ)は!?

ザッ

スッ

バサ
バサ

ふあ〜〜〜
うぅ〜〜ん
ナルトの奴昨晩も帰って来んかったのか？
おじさんの話聞いてから毎晩一人で木に登ってるわよ
単純バカだから…
チャクラの使い過ぎで今頃死んでたりして！
……ナルト君大丈夫かしら
子供が一人真夜中じゅう外にいるなんて
なーーーに心配いりませんよ
ああ見えてもアイツはいっぱしの忍者ですから

どうだかな……
ホントに死んでんじゃないか？
あのウスラトンカチ…

…………

スー
スー

スー
スー

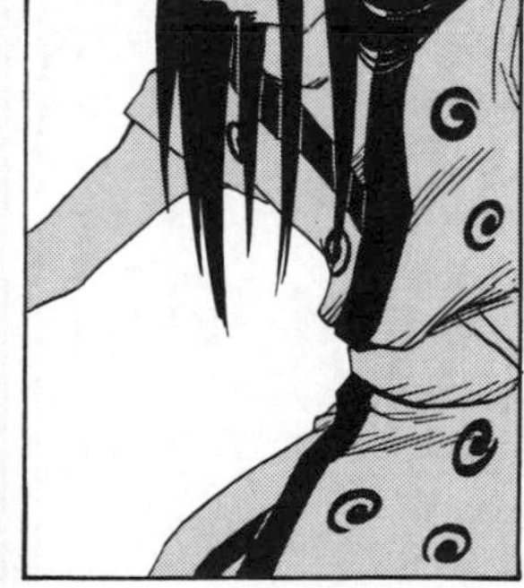

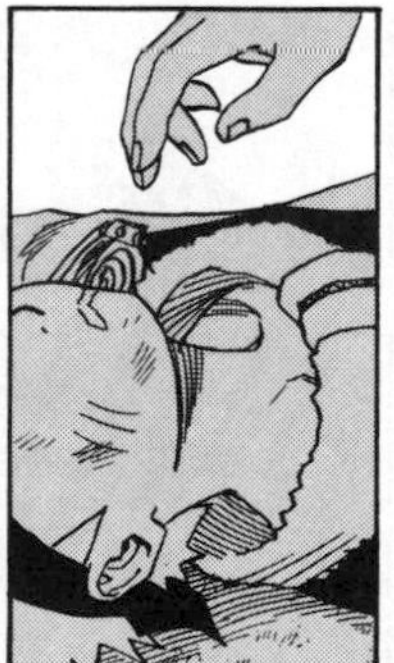

こんなところで寝てると風邪ひきますよ
……ん…？
ポン

この草が薬草？
すいません手伝わせちゃって
姉ちゃん朝から大変だな
君こそ！こんなところで朝から何をやってたんです？
ドン
修業ォ!!
！
君…もしかしてその額当てからして忍者かなんかなのかな？
!!
ピク
そう見える!? 見える!? そう！ オレってば忍者！
カーッ
へーすごいんだね君って
へへっ

オレの里で一番の忍者になるため!

それに今はあることをあるヤツに証明するため!

みんなにオレの力を認めさせてやんだよ!

……それは誰かの為ですか？
それとも自分の為にですか？

………
…は？

………
クス

！
ムカ
何がおかしんだってばよ！

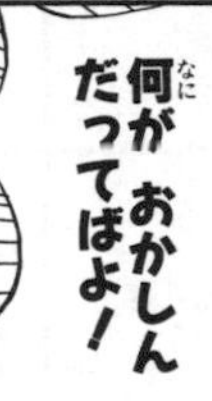

……君には
大切な人がいますか？

！
？
むう〜〜〜何が言いたいのか？姉ちゃん…

!?

スッ

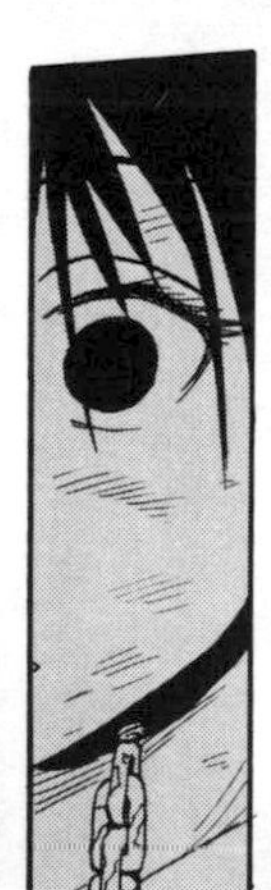

？
なんだ？

スッ

………

人は…
大切な何かを
守りたいと
思った時に
本当に
強く・・・・
なれる
ものなんです

………

父ちゃんは
イナリのいる
この町が
大好きだ
からな…
イルカ先生に手ェ出すな…
殺すぞ…
ぐっ…
オレの仲間は
絶対
殺させや
しなーいよ！

うん!
それはオレも よく分かってるってばよ
ニコ

スッ

君は強くなる…
またどこかで会いましょう
うん!

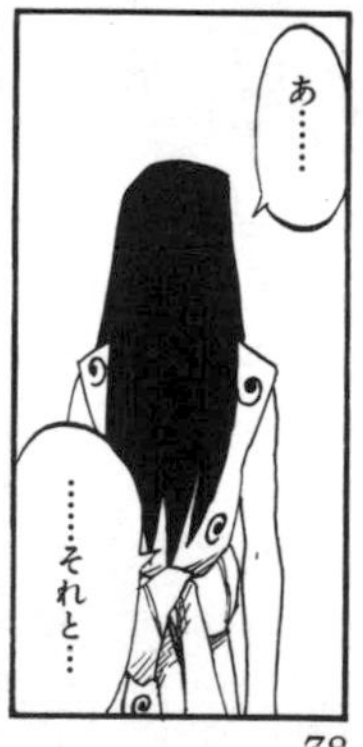
あ……
……それと…

ぼくは男ですよ
!

ガーン!
ンな バカなっ!
サクラちゃんよりカワイイのにイー!!?

この世は不思議だなあ
?

……

ザ ザ

翌日———
修業開始7日目の朝

ナルトの奴どこ行ったんだ
昨日も夜から出かけて一人で無理しやがって
もう朝ゴハンだっていうのに
…サスケ君も散歩行くって言ったっきりいなくなるし

!
!
ザク

!
!

ドッ
ハァ
ハァ
へへエ…
ナルトがあんなところまで登れるようになったわけ?
スゴイ…
どうだ!どうだ!
オレってばこんなとこまで…
登れるようになったってばよ!
…フッ

よっこら…

しょ
ツル
グラッ
！

あ！

あ！
バカ!!
!!
マズイ!!
この高さから
落ちたら………!!

うわぁ!!

キャー―!!
くそ！
まだ体が…

ピタッ!

ニイッ!

なーんちゃってェ——!!

ハッハー——!
ひっかかった!
ひっかかった!

ハッハー!

……

……

びっくりするじゃない バカ!

しゃーんなろ!

内なるサクラ

あとで殺す!

おおお
ガッ
ぎゃあああああ
ガッ
あ！
このウスラトンカチが…

サスケェ!!

キャーーー
さすが サスケ君！ しびれるゥーー！

………
こいつら よく成長して やがる…

ザザァ‥

……うずまき
ナルトかぁ……

196
197
198

……前々から
超きいておきた
かったんじゃが…
ワシが任務の内容を
偽ったのに
どうして お前らは
ここにいて
くれるんじゃ

義を見てせざるは
勇なきなり

勇将の下に
弱卒無し!

先代の火影の
教えです
199

これが忍の生き方…
お金だけで忍は動くわけじゃありません

オレの体もほぼ復活したしな…

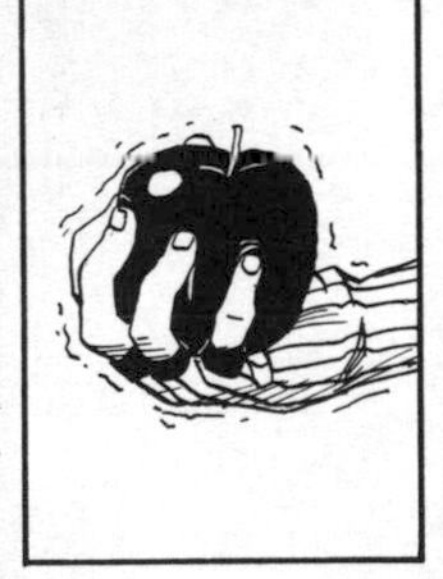

キャ

大分戻りましたね
ポタポタ

よし!
そろそろ行くか 白!
……ハイ
パラ
パラ

①
NARUTO

22：強敵出現!!
ハァ
ハァ
帰るか
オウ！
ハァ

ガチャ
おう 今帰ったか!
……… なんじゃ お前ら 超ドロドロのバテバテじゃな
ドロ ドロ
へへ… 2人とも…
てっぺんまで 登ったぜ…
動けなくなるまで やるなってーの このウスラトンカチ
ハァ
ハァ
よし!
ナルト サスケ 明日から お前らも
タズナさんの 護衛につけ
押忍!!

フーーー
ワシも 今日は 橋作りでドロドロの バテバテじゃ

なんせ もう少しで 橋も完成 じゃからな

ナルト君も 父さんも あまり無茶 しないでね！

うー

うむ

大切なものは…
この2つの両腕で守るんだ
泣くな…
イナリ…
!
なんで…
なんで…
何だァ?
なんでそんなになるまで必死に頑張るんだよ!!
修業なんかしたってガトーの手下には敵いっこないんだよ!
いくらカッコイイこと言って努力したって
本当に強いヤツの前じゃ弱いヤツはやられちゃうんだ!
ガタッ

……
………
………

うるせーな！
お前とは　違うん
だってばよ

お前みてると
ムカツクんだ！
この国のこと　何も
知らないくせに
出しゃばり
やがって！

お前に　ボクの
何が分かるんだ！
つらいことなんか
何も知らないで
いつも楽しそうに
ヘラヘラやってる
お前とは違うんだよォ！

ピク

……だから……
悲劇の主人公
気取って
ビービー泣いてりゃ
いいってか……
スッ
！

お前みたいなバカは
ずっと泣いてろ!
泣き虫
ヤローが!!
ビク
…………

ナルト！
アンタ ちょっと
言い過ぎよ！
ガタッ
ズッ
フン！

……

……

ザザザァ

ちょっと
いいかな…

ま！
ナルトの奴も
悪気があって
言ったんじゃ
ないんだ…
アイツは
不器用
だからなァ…

……

お父さんの話は
タズナさんから
聞いたよ

ナルトの奴も
君と同じで
子供の頃から
父親がいない
ピク

…というより
両親を知らないんだ
…それに奴には
友達の一人すら
いなかった
ホント言うと
君よりツライ
過去を持ってる…
えっ？

けど！
ツライとイジケたり
スネたりして
泣いているところは
一度も見たことが無い
アイツは
いつも…

誰かに認めてもらいたくて一生懸命で…
その"夢"のためだったらいつだって命懸けなんだ…

あいつは もう泣き飽きてるんだろうなぁ

だから…強いっていう事の本当の意味を知ってる…
君の父さんと同じ様にね

…ナルトは君の気持ちを一番分かってるのかもしれないな…
え？

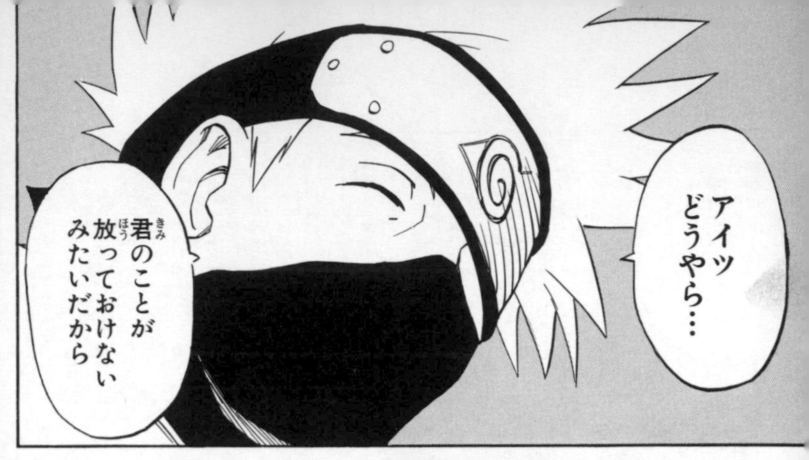
アイツ
どうやら…
君のことが
放っておけない
みたいだから

じゃ！
ナルトを
よろしく
お願いします

……

限界まで
体使っちゃってるから…
今日はもう 動けないと
思いますんで
スー
スー

じゃ！
超行ってくる
ハイ

襲撃の用意はいいか!

おい ザブザ
聞いてんのか
おい!!
ガガ
そろそろ行くか 白
はい

あーーー!
寝すごしたァー!!

あのさ!
あのさ!
みんなは?
あ! ナルト君
もう起きたの?

今日は先生が
ゆっくり休めって
言っ…
ダッ
ダッ

やっぱな!
やっぱな!
オレ置いて
行きやがった!!

行ってきまー

……

ダダダダダダダダ

……

な…
なんだあコレはァ!!!
ドド

イナリー
ちょっと洗い物
手伝ってー

ザッ

うーーん
今トイレー!
ニヤ
カチャ

この霧…
!
来るぞォ!!
!
!

やっぱり
生きてやがったな…
さっそく
お出ましか…！

ね！
カカシ先生
これって…
これって
あいつの霧隠れの
術よね！

ドクン

プル
プル

久しぶりだな
カカシ

相変わらず そんな
ガキを連れて…
また震えてるじゃ
ないか…
かわいそうに…

武者震いだよ！
!!

!!
イ…
やれ
サスケ

ガッガッガッ

バシャアアア

パシャ

!

ピチャ

ピチャ

スッ..!

強敵出現ってとこだな…白

そうみたいですね

強敵出現ってとこだな…白
そうみたいですね…

23：2つの急襲…!!

あの お面ちゃん…
どう見たって ザブザの仲間 でしょ！ 一緒に並んじゃって ……
どの面下げて 堂々と 出て 来ちゃってんのよ アイツ
アイツは オレがやる
え？
ヘタな芝居 しやがって…
オレは ああいうスカしたガキが 一番嫌いだ
サスケには つっこまないんだよなァ… サクラの奴
カッコイイ サスケ君♡
大した 少年ですね
いくら 水分身が オリジナルの 10分の1程度の 力しか ないにしても…

あそこまでやるとは…
だが先手は打った
行け!
ハイ
!
なに!?
!!

ザッ
！
ザッ

アンタがタズナの娘か？
悪いが一緒に来てもらおう

ジャー
ガシャン
キャー────!!
!!
母ちゃん!!
何だガキ!
出てきちゃダメ!早く逃げなさい!
こいつも連れてくか?
人質は一人いればいい

ビクッ
人質…!?

じゃあ……クク…
殺すかァ?
カチャ

!!

待ちなさい!!

…その子に手を出したら…舌を噛み切って死にます

…人質が欲しいんでしょう?

フッ…
母ちゃんに感謝
するんだな
ボウズ
あ──あ
…なんか
斬りてーなぁ…

お前
いい加減にしろ
さっき
試し斬りした
ばかりだろーが…
そんな
ことより
連れてくぞ
ズズ
うっ……
うっ……

母ちゃん
ごめん…
ごめんよ…
ボクは
ガキで弱いから
母ちゃんは
守れないよ

それに
死にたくない
んだ…
ボク
怖いんだ……

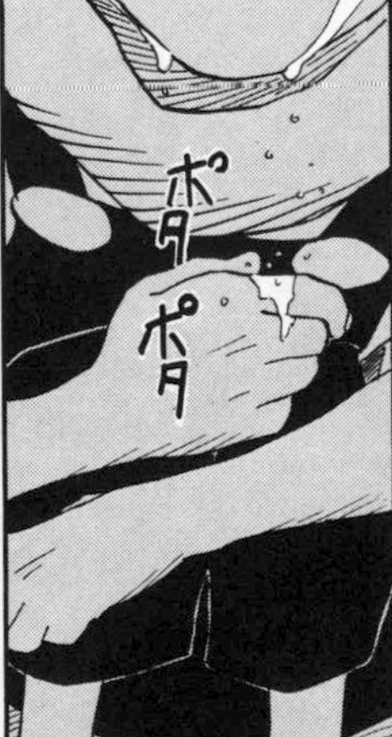
ポタ
ポタ

泣き虫ヤローが…

……………
悲劇の主人公気取ってビービー泣きやがって

あいつはもう泣き飽きてるんだろうなぁ…

お前みたいなバカはずっと泣いてろ!!
泣き虫ヤローが!!

……………

だから…強いっていう事の本当の意味を知ってる…
君のお父さんと同じ様にね

本当に大切なものは…
たとえ命を失うようなことがあったって
この2本の両腕で守り通すんだ!!

みんな…
すごいよなぁ……

カッコいいよなぁ……

みんな強(つよ)いよなぁ……

グッ
ピッ

……ボクも……

ボクも……
強くなれるかなぁ…!
……父ちゃん!!

かっ…！
ボクだって……‼
母ちゃんから離れろーー‼

うおおおおお‼
ダッ
ダッ
ったく…しょーがねェーガキだな！
！

！
斬るぞ…
ヤリィ
カチャ

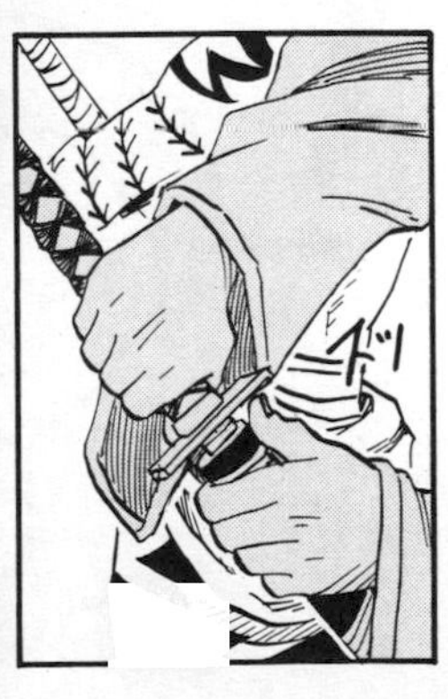
ド

イナリ！

!
!
チン
ゴトゴト
変わり身の術…!?
!
遅くなって悪かったな
ヒーローってのは遅れて登場するもんだからよ…
ナルトの兄ちゃん…!
イナリよくやったな!

何だ
誰かと思ったら
………
タズナが
雇った
ダメ忍者か…
お前が奴らを
ひきつけてくれた
おかげで
母ちゃんを
助けられたぞ
スッ

ダッ
だ…大丈夫
なの？
兄ちゃん！
ダダッ

ああ
カチャ

シュ
シュ

フン…
そんなものが
効くか！
キン
キン

バ──カ

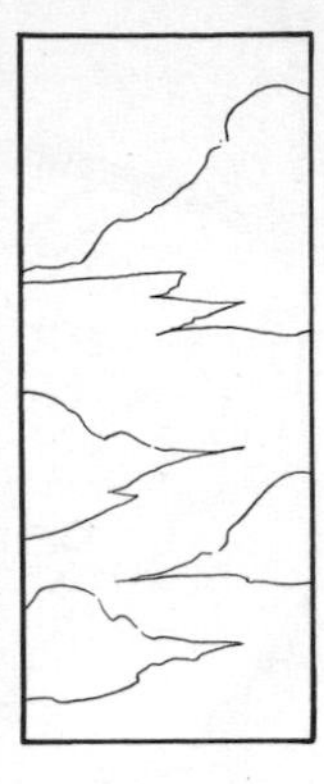

兄ちゃん…どーして侍がここに来るってわかったの
ん――――?

!
森の中に刀で斬られたイノシシがいたんだ
それ以外に刀傷がいっぱい木や何かにあってそれがイナリの家に向かって行ってたからな…心配になってよ

そんなことより……

イナリ…昨日は悪かったな
!

ん?
へへッ

お前を泣き虫呼ばわりしちまってごめんな
アレは無しだってばよ

!
ポフ

お前は強えーよ！

………
何言ってんのお前…!?

え?

……あいつはこのオレが認めた
優秀な生徒だ

今はもうバケ狐じゃない
あいつは木ノ葉隠れの里の…

うずまきナルトだ

………

?

うれしい時には
泣いてもいーんだぜえ！

ぶわあああ
兄ちゃん～…

さーて

ここが襲われたって事は橋の方もヤベーって事だ

もう ここはお前に任せて大丈夫だよな

………
うん……
ゴシ
ゴシ

ザッ
まったく英雄ってのは大変だってばよ!
サッ
だってばよぅ!!

24：スピード!!

ほう……
あのスピードを見切るか……

ふむ……

サクラ！
タズナさんを囲んで
オレから離れるな
アイツは
サスケに任せる！
うん！
ザッ
ダッ

君を殺したくはないのですが…
引き下がってもらえはしないのでしょうね…

アホ言え…

やはり… しかし次 あなたはボクのスピードにはついてこれない
それにボクはすでに2つ先手を打っている
2つの先手?

一つ目は辺りにまかれた水… そして二つ目にボクは君の片手をふさいだ…
キチ
キチ
したがって君はボクの攻撃をただ防ぐだけ…

なにィ!!
コイツ片手で…!!
ババッ
片手の"印"だと!?
あんなの見たことが…
秘術
千殺水翔!!
タン
!

脚へ!!

!
消えた!?
ザザ

!
カッ
カッ
カッ
キィン!!
ザッ
ガッ
ザッ
!!
案外トロいんだな…
これからお前は…
オレの攻撃をただ防ぐだけだ!

パシィ
!

ググッ
ビッ
!
…は…速い…!!
ザッ

ドカ

何っ…！

あの白がスピード負けするとは…

ぐっ！

どうやらスピードはオレの方が上みたいだな…

ククク…
クククッ…

？

白…
分かるか
このままじゃ
返り討ちだぞ…

ええ…
残念です…
な…なんだ…
これは…
冷気…？
スッ
ムクッ
！
ピチ
ピチャ
パキ
パキッ

秘術
キキキキ

パーー
!!
魔鏡氷晶!!

何だこの術は!?

キラ

バシャ

ズズズズ…

!
な…っ

キラッ
スッ
パッ

!
パッ
パッ
パッ
パッ
パッ

ボクの本当のスピードをお見せしましょう

うぐぅっ!!

ぐぁぁぁぁ
じゅ
うかつに動けばそっちの2人を殺るぞ!
…くっ
サスケ君!!
!!
ぐっうわぁ…
……
タズナさんごめん…少しだけここを離れるね……
……ああ行ってこい…
ダッ
カチャ
サスケ君!!
ピシュ!

バッ
ズッ
!!
!
!!
かわされた!!
ガッ
ドパシャ!
ズズッ
うっ!

!

……誰?

あのバカ…

目立たがり屋が…

…意外性No.1の…

ドタバタ忍者…!?

うずまきナルト!

ただいま見参!!

[初期メインキャラクターのスケッチ]

サクラの初期イメージです。今見ても思うのですがはっきり言ってカワイクない！というよりボク自身、女の子キャラを描くのは苦手でカワイク描けなくて、いつも悩んでやってるところではあるんです。サクラもこのデザインやキャラの性格からして担当さんやまわりの人たち、アシスタントのみんなにも「カワイクない女の子だ」とさんざん言われました(笑)。

でもボク的にはサクラのデザインやキャラはけっこう気に入っています。誰でも内なるサクラのような心の声を持ってますし、それに自分勝手な恋なんかも含めてリアルな人間らしさがあっていいと思っています。
カワイイだけがマンガの女の子じゃないし！……と言い訳がましいこと書いてますが…。まぁ、ボクもわんぱくボウズとじじいキャラならいくらでも描けるんですが…、女の子は難しいです…ホント。

No.25：夢の為に…‼

オレが
来たからには
もう　大丈夫だってば
よ！

物語の
主人公ってのは
大体　こーゆー
パターンで出て来て
あっちゅーまにィー

敵を
やっつける
のだァー！

ったく
あのバカ！

あんな目立つ
登場しやがって…
あれじゃ
いい的だ！

修業ォ!!
オレってば
もっと強く
なりてーんだ
ニヤ
しまった!
!
!
来たっ!!

!

!?

キン
キキン
キン

!?

………

手を出すなってことか…白
相変わらず甘いヤローだ…お前は…

甘いか…確かにな…
この傷から見て千本で攻撃されてるのは確かだが…
今のところ急所という急所は狙われていない…生殺しのつもりか…

…しかし この術は何だ!?
分身を鏡に潜ませ全員で同時に千本を投げつけて…
いや…それにしちゃ速すぎる…
武器の軌道すら見切れないのはどういうことだ…

それに 単なる分身の術だとすればこの氷の鏡を必要とする理由が見当たらない…
とにかく この鏡が奴の攻撃の要であることは疑いようがない
スッ

ここはとりあえず…オレは内側…
そしてナルトに鏡の外側から攻撃させてみるしか……

よっ！助けに来たぞ！
!!!

こっ…このウスラトンカチ！忍ならもっと慎重に動けェ！
お前まで鏡の中に…くそ！もういいこのバカ!!
なんだァお前ェ!! せっかく助けに来てやったのにィ!!

さすが意外性No.1の忍者だ…
助太刀に来てどんどん状況が悪化してやがるな…

…ナルトとサスケの方へ行けばタズナさんが危ない
…がといってあいつらを放っとくわけにも…

中途半端な影分身をやってみても
こいつもすぐに水分身で足止めにくる…余分なチャクラを使うだけだ…

ズズズ

ズズズズ
!
!

よし！あそこが本体か…
カチャ

こっちだよ
!!

ドクン
ツゥー…
移動した…!?

こうなったら…鏡をぶっ壊すまでだ!!
どっ…どーいうことだぁコレェ!!
パ

火遁!!
こいつは氷を凍らせて作った鏡…
…なら…

豪火球の術!!

キラ
スッ

ぐあ!!
ガッ
うぐっ!!

ザザザッ
ザザッ

一気にどっから攻撃してきやがんだ!!
分身かァ?
ぐっ…
どこだ本体はァ!?

目で追おうとしても無駄だよ
ボクは絶対捕まらない

フン
影分身の術!!!
よせ!
バッ

なら‼どいつが本体か全部ぶっ叩いて確かめてやるってばよ!

スッ
パシャ
うわあああっ!!!
ボン
ボン
ボン
ボン
ボン
ボン
!

この術は
ボクだけを写す
鏡の反射を利用する
移動術
ボクのスピードから
見れば 君たちは
まるで 止まっている
かの様…

ドザザッ

!
やはり…!!

まさか あの少年が
あんな術を体得
していようとは…
クククク…

!
あんな術…?

血継限界だ!

深き血の繋がり…
超常個体の系譜…
それのみによって
子々孫々伝えられる
類の術だ…

じゃあ…

そう…
言ってみりゃあ
このオレの
写輪眼と
同種のもの…
このオレを
もってしても
あの術は
コピー不可能…
破る方法も皆無…

………
ちくしょう…

だから
何だってんだ
!

こんなとこで
くたばって
られっか
オレには
かなえなきゃ
なんねェ
夢があんのにィ…!

オレの里で
一番の忍者に
なること!!
みんなに
オレの力を
認めさせて
やんだよ!

夢・・・

クク…
憐れな
ガキだ

お前みたいな
ガキは 誰にも
必要とされず
この先
自由も夢もなく
のたれ死ぬ…

!

………
お兄ちゃんも
…ボクと同じ目
してる…

ボクにとって
忍になりきる事は
難しい

…………

出来るなら
君達を
殺したくないし
…………!!
君達に
ボクを
殺させたくも
ない……

けれど 君達が
向かってくるなら
…………
ボクは 刃で
心を殺し
忍になりきる

この橋は
それぞれの
夢へとつながる
戦いの場所

ボクは ボクの
夢の為に
君達は 君達の
夢の為に

恨まないで
下さい
ボクは
大切な人を護りたい…
その人の為に働き
その人の為に戦い
その人の夢を叶えたい…
それが
ボクの夢

その為なら
ボクは 忍に
なりきる
あなた達を
殺します

サスケ君！
ナルトォ！
そんな奴に
負けないでェ!!

やめろ サクラ
あの2人を
けしかけるな
！
え？

たとえ 万に一つ
あの技を破る
方法があったとしても
あいつらに
あの少年は
倒せない…

！
ど…
どーゆー
ことよ？

クク…
ククク…

あいつらには
まだ 心を殺し
人を殺める
精神力はない

あの少年は
忍の本当の苦悩を
よく知っている

……お前らみたいな
平和ボケした里で
本物の忍は
育たない…
忍の戦いにおいて
最も重要な
〝殺しの経験〟を積むことが
できないからだ…

じゃあ
どーすんのよォ
先生!!

………

スッ

悪いが……

一瞬で終わらせてもらうぞ

クク…写輪眼…

芸の無え奴だ

No.26：
写輪眼崩し…!!

スッ
写輪眼(しゃりんがん)!!
ダッ
!

ボタ
ボタ
ボタ

〝芸が無い〟と
凄んではみても
やはり写輪眼は怖いか
……再不斬

カカシ先生が勝てないって…あのお面の子ってそんなに強いの？
先生…！

オレはアイツがガキの頃から
徹底的に戦闘術を叩き込んできた

あいつは信じがたい苦境の中においても常に成果をあげてきた
〝心〟も無く〝命〟という概念すら捨てた忍という名の戦闘機械だ

その上奴の術はオレすら凌ぐ！
血継限界という名の恐るべき機能！

オレは高度な道具を獲得したわけだ
ズボッ
お前の連れてる廃品とは違ってな……!!

他人の自慢話ほど退屈なものはないな…
そろそろいかせてもらおう!

まぁ待て…
話ついでに
お前の台詞を借りて
もう一つ
自慢話をしてやろう
お前は
前に 確か
こう言ったな…

!?

!

クク… オレは
その台詞を
サルマネしたくて
ウズウズして
たんだぜ
………

?

「言っておくが」
「オレに二度
同じ術は 通用しない」
…だったか…

！

オレはすでにお前のその目の
くだらないシステムを全て見切ってんだよ

この前の闘いオレはただバカみたいにお前にやられてたワケじゃない
ぐっ…
終わりだ…
かたわらに潜む白にその戦いの一部始終を観察させていたワケだ

白は頭も切れる…大抵の技なら一度見ればその分析力によって対抗策を練り上げてしまう
！

忍法
霧隠れの術

くっ…
おい サスケ！
これじゃ
逃げまわってるだけ
だってばよ！
黙って立て！
お前のメンドーまで
見きれねーぞ

多少の傷はやむを
得ない とりあえず
致命傷を避けて
動くんだ！
おそらく
アイツの
チャクラにも
限界がある!!
現に少しずつ…

来る!!

ザザッ

ザザッ

サクラ！タズナさんを頼むぞ!!
！

………

…そうよね…サスケ君を信じて
私は私のやるべきことを！

何じゃ…この超凄い霧は…視界ほぼ0じゃないか…

敵もやたら気合い入ってるわ！
タズナさん私から離れちゃダメよ!!
ザッ
おおサクラ

霧隠れっつったって霧が濃すぎる…
これじゃ再不斬自身何も見えないハズ……

シュルルル
シュルルル

キン
ぐっ
キン
キン
キン
キン
キン
キン

だが…次…
お前がオレを見た時
それは全ての
終わりだ…

目を…!
閉じてやがる!!

お前は
写輪眼を
過大評価
しすぎた
スウ…

なに…

ススウ…
ククク……

お前は　事象の全てを見通しているかの様にほざいていたが…
お前には未来が見えるのか…？

ああ……お前は死ぬ
結果その先読みはハズれている

カカシ…お前には未来も見えてはいないオレの心も
写輪眼とは…つまり・・そう思わせる為の透遁法!!

つきつめて言えば洞察眼と催眠眼の両方を持ち合わせた瞳術…
その2つの能力を使い姿写しの法から心写しの法　そして術写しの法へと透遁し…

自分にはあたかも未来が見えているかのように振る舞う

!!!
スッ
"姿写し"の法
まず その洞察眼で
オレの動きを即座に
真似て動揺を誘い…
フッ…
しょせんは
2番せんじ
お前は オレには
勝てねーよ
サルヤロー!!
"心写し"の法
オレの心の揺らぎを
確信したお前は
さらにオレに
なりきることで
"心の声"を決めつける
——そして…
焦りまくるオレの
動揺がピークに
達した時を
見計らい お前は
巧妙なワナを
仕掛ける
催眠眼で
幻術を使い
オレに印の結びを
先出しさせて…
あとは
それを
真似するだけ
"術写し"の法

だったら 話は 簡単だ
!
まず この濃霧で 姿を消し お前の 洞察眼を封じ…
ぐオ
ドド
くそ…!
この視界で ガードが遅れる!!
カ
くっ
ククッ… オレ自らも目を閉じ 接近戦における 催眠眼の可能性を 封じる
ガガガ
くっ… 何故だ…
それは お前の 視界を奪う ことにもなるはず…
忘れたのか ……
なにっ!?

オレが 音だけで
ターゲットをつかむ
無音殺人術の
天才だということを!!

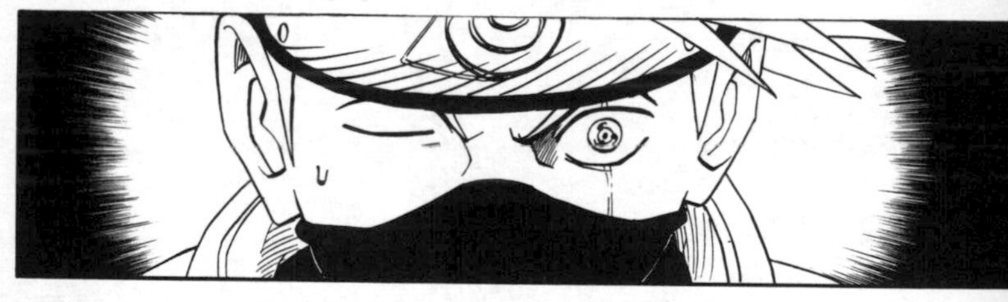

!
マズい!!

スゥ..

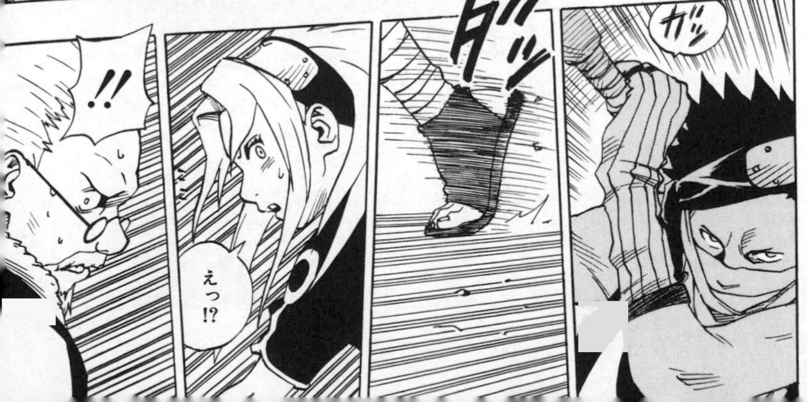

ドン!!
遅い!!
きゃあああああ!!

ハァ
!!

今のはサクラの声!!何かあったのか!!
先生のヤローは何をしてる!?

畜生!このままじゃマジでヤバイ
オレが何とかするしかない
ハァ
ハァ

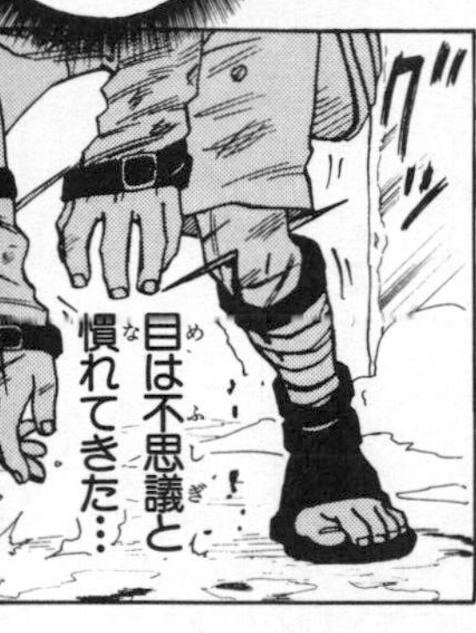
目は不思議と慣れてきた…

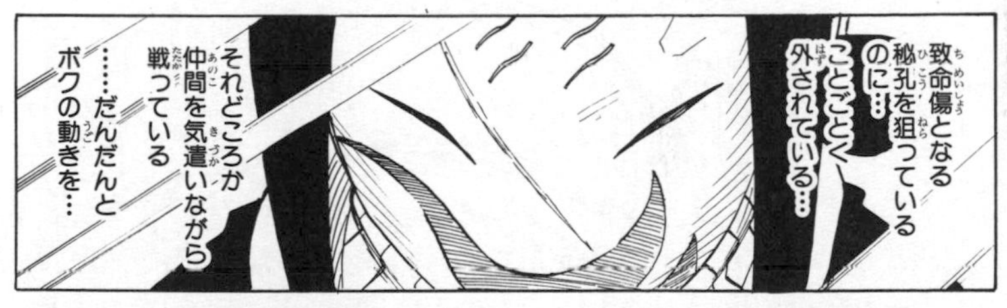
致命傷となる秘孔を狙っているのに…
ことごとく外されている…
それどころか仲間を気遣いながら戦っている
……だんだんとボクの動きを…

あの少年には…
何かが見えている…!!

りある なると

ナンバー27：覚醒(めざめ)…!!

君は・・・
よく動く・・・

けれど次で止めます・・・

ズッ
運動機能 反射神経 状況判断能力・・・

ガッ
君の全てはもう限界のハズ・・・

来る!!

落ち着け・・・

集中しろ・・・

そして見切れ!!

！
！
!!

完全に見切った!?
そんな……!!

！

!!

あの両眼…
まさか…!!
写輪眼…
!!?

…キミは
……!!
そうか…
キミも血継限界の
血を…

何て子だ…
まだ不完全だけど
少しだが…
見えた!!
闘いの中で その才能を
目覚めさせるなんて…

だとすれば
そう 長くは戦えません…
ボクの術は
かなりのチャクラを使うので
術による移動スピードを
保つのにも 限界があります

おそらく戦いが長引けば長引くほど…
ボクの動きはキミの"読み"の範疇に入ってしまう
!
キミの眼はもうボクを捕え始めているならば…!!
ストレートにキミを狙うのは浅はか…!
………あの子を使いおびきよせる
うっ…
スッ
これでカタをつけます!!
!!
何だとっ!!ナルトに!?
くっ…!!間に合え!!

ボタ ボタ

ドドン

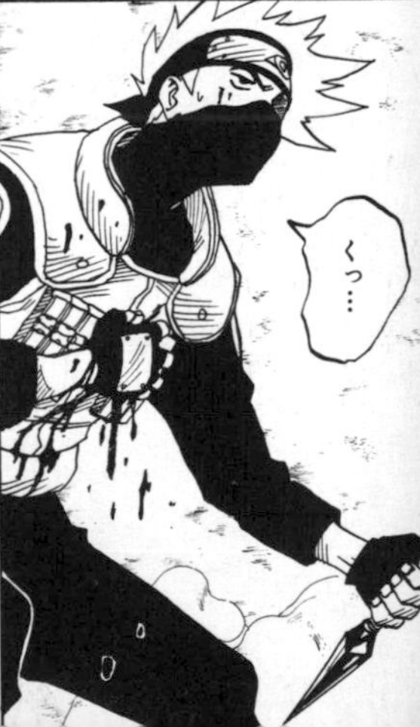
くっ…

!!
カカシ先生!!

護衛に入るのが
遅れたなァ…
カカシ!
ガキどもを
助けたいという一心が
お前の頭に血をのぼらせ
さらに 濃い霧をかけたか…

……たいそうな眼を持っててもよ
敵の動きを読む力が鈍ってるぜ

ククク…もっと楽しませてくれよ…カカシ
借りは楽しく返したいんでなァ！

心配しなくてもガキどもは白が　そろそろ殺してる
カチャ

もっとも　お前もすぐヤツラとおんなじ場所に送ってやる
せいぜいあの世で己の力の足りなさを泣きながら詫びるんだな

………
くくくっ…　ハハハハハッ!!
………

サスケ君は あんな奴に簡単にやられたりなんかしないわ!!

しゃーんなろー!!

内なるサクラ

しゃーんなろ!

しゃーんな

ナルトだって!!

……!!
まさか…

そうだ…
奴の名はうちはサスケ

あのうちは一族の血継限界をその血に宿す…
天才忍者だ!!

あの悲劇の一族の末裔か…
どうりで成長が早い…

スッ

だがそれは白とて同じ事
白のあの秘術を破った者はいない
過去一人としてな…
スウゥ…

また消えた!!

サクラ ここを動くな

オレも そろそろ カタをつけるか…

ザッ

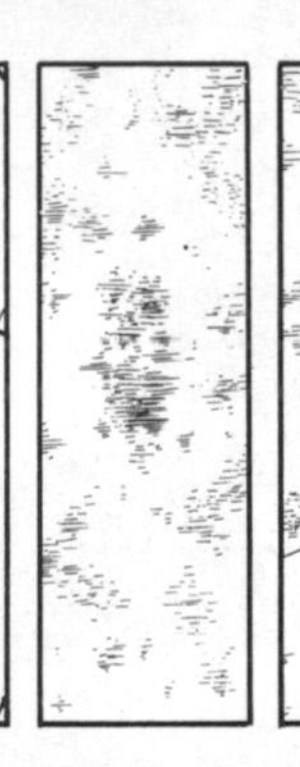

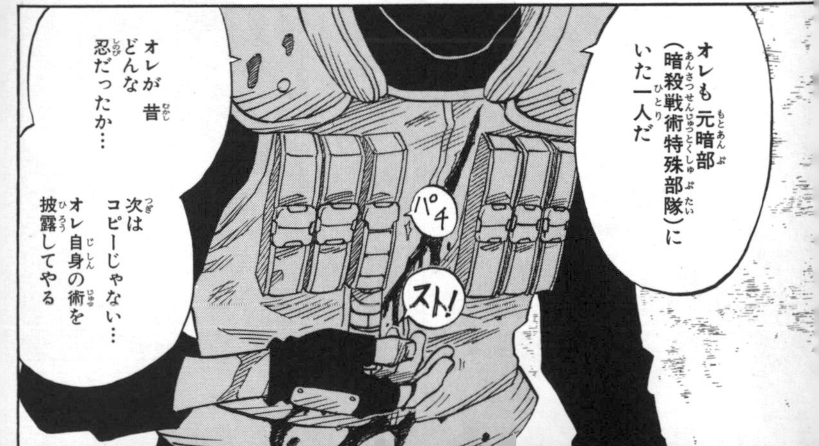

うっ…ん…
ピク

!!

…まったく
…お前は…
いつまでたっても…
足手まといだぜ…

サスケ！
お前…
!

な…
…何て顔
してやがんだ…よ…
……
この…ウスラ…
トンカチ…
…………
な…
なんで…
オレをかばって…!?

知るかよ…
火影を超す!!
って
忍者ー!縄抜けの術ってのがあんだ…
!!!
ビビリ君
オイナルト!
ズコーーン
ホラよ
そんなこと…
おかわり!
!
里の奴ら全員にオレの存在を
…孤独
え?
…親にしかられて悲しいなんてレベルじゃねーぞ
ドロ

なんで…なんだってばよ…
なんで…　オレなんか…

ポタ

よけーなお世話だ!!

……知るか…よ…
ゴブッ

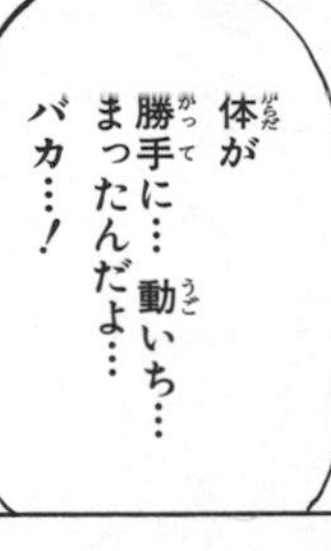
体が勝手に…動いちまったんだよ…バカ…!

!

!
ドザッ

グラ

……あの男を……
兄貴を…殺すまで…死んでたまるかって…思って…たのに…
!
お前は死ぬな…
ドクン
彼はボクに一撃をくれ…ひるむことなく
キミを守って死にました
ムクッ…
大切な人を守る為に罠だと知っていながら飛び込んでいける
彼は尊敬に値する忍でした…

仲間の死は初めてですか…
これが忍の道ですよ…
ズッ

ズズズズ

………
うるせェ…

オレだってお前なんか大嫌いだったのに…

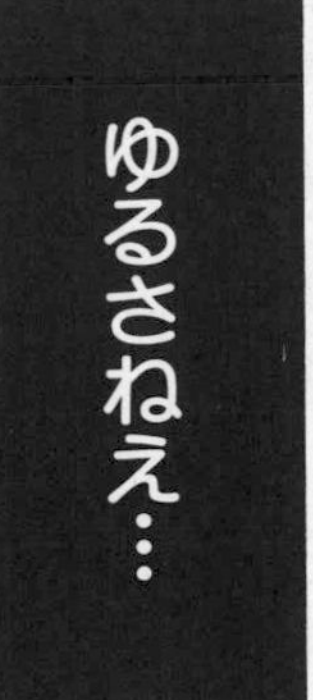
ゆるさねえ…

!

ドン

殺してやる!!!
!!
3夢の為に…!!(完)

■ジャンプ・コミックス

NARUTO -ナルト-

3夢の為に…!!

2000年8月9日　第1刷発行
2001年11月19日　第6刷発行

著者　岸本斉史

編集　ホーム社
東京都千代田区一ツ橋2丁目5番10号
〒101-8050
電話 東京 03 (5211) 2651

発行人　山路則隆

発行所　株式会社 集英社
東京都千代田区一ツ橋2丁目5番10号
〒101-8050
03 (3230) 6233 (編集)
電話 東京 03 (3230) 6191 (販売)
03 (3230) 6076 (制作)
Printed in Japan

印刷所　共同印刷株式会社

ISBN4-08-872898-X C9979

夢と感動がいっぱいの

ジャンプ コミックス 完結巻好評発売中!!

名作たちを読破せよ!!

- 赤龍王 全9巻 本宮ひろ志
- 北斗の拳 全27巻 武論尊 原哲夫
- CYBERブルー 全4巻 B・O・B 三井隆一・原哲夫
- 花の慶次ー雲のかなたにー 全18巻 隆慶一郎 麻生未央・原哲夫
- SAKON=戦国風雲録= 全6巻 隆慶一郎 二橋進吾・原哲夫
- 猛き龍星 全3巻 原哲夫
- 聖闘士星矢 全28巻 車田正美
- 風魔の小次郎 全10巻 車田正美
- るろうに剣心ー明治剣客浪漫譚ー 全28巻 和月伸宏
- CITY HUNTER 全35巻 北条司
- キャッツ♥アイ 全18巻 北条司
- まじかる☆タルるートくん 全21巻 江川達也
- DRAGON QUESTーダイの大冒険ー 全37巻 堀井雄二 三条陸・稲田浩司
- 銀牙ー流れ星銀ー 全18巻 高橋よしひろ
- グレートホース 全9巻 星野広明 高橋よしひろ
- 魁!!男塾 全34巻 宮下あきら
- 激!!極虎一家 全12巻 宮下あきら
- キャプテン翼 全37巻 高橋陽一
- エース! 全9巻 高橋陽一
- キャプテン翼〈ワールドユース編〉 全18巻 高橋陽一
- とびっきり! 全4巻 樹崎聖
- きまぐれオレンジ★ロード 全18巻 まつもと泉
- ついでにとんちんかん 全18巻 えんどコイチ
- 死神くん 全13巻 えんどコイチ
- 闇狩人 全6巻 坂口いく
- 新ジャングルの王者ターちゃん♡ 全20巻 徳弘正也

- NBA STORY 全5巻 高岩ヨシヒロ
- 空のキャンバス 全7巻 今泉伸二
- 魔女娘ViVian 全4巻 高橋ゆたか
- ボンボン坂高校演劇部 全12巻 高橋ゆたか
- キン肉マン 全36巻 ゆでたまご
- マーダーライセンス牙 全22巻 平松伸二
- BADBOY MEMORY 全10巻 岡村茂
- Doubles 全2巻 小谷憲一
- 世紀末リーダー外伝たけし! 島袋光年
- セクシーコマンドー外伝すごいよ!!マサルさん 全7巻 うすた京介
- 武士沢レシーブ 全2巻 うすた京介
- ウイングマン 全13巻 桂正和
- 電影少女 全15巻 桂正和
- D・N・A²〜何処かで失くしたあいつのアイツ〜 全5巻 桂正和
- SHADOW LADY 全3巻 桂正和
- I"s〈アイズ〉 全15巻 桂正和
- 密♥リターンズ! 全7巻 八神健
- きりん〜The Last Unicorn〜 全3巻 八神健
- 燃える!お兄さん 全19巻 佐藤正
- とってもラッキーマン 全16巻 ガモウひろし
- ショッキングBOY 全5巻 雨宮淳
- モンモンモン 全8巻 つの丸
- みどりのマキバオー 全16巻 つの丸
- サバイビー 全3巻 つの丸
- 天より高く! 全2巻 浅美裕子
- WILD HALF 全17巻 浅美裕子

- がっとび一斗 全46巻 門馬もとき
- ろくでなしBLUES 全42巻 森田まさのり
- 自由人HERO 全12巻 柴田亜美
- 県立海空高校野球部員山下たろーくん 全21巻 こせきこうじ
- ペナントレースやまだたいちの奇蹟 全14巻 こせきこうじ
- まんゆうき〜ばばあとあわれなげぼくたち〜 全2巻 漫☆画太郎
- 地獄甲子園 全3巻 漫☆画太郎
- カジカ 鳥山明
- COWA! 鳥山明
- DRAGON BALL 全42巻 鳥山明
- Dr.スランプ 全18巻 鳥山明
- 鳥山明のヘタッピマンガ研究所 鳥山明 さくまあきら
- 白バイファイター夢之丞変化 秋本治
- こちら人情民生課 秋本治
- 花田留吉七転八倒 秋本治
- こち亀-読者が選ぶ傑作選 秋本治
- ハイスクール!奇面組 全20巻 新沢基栄
- 3年奇面組 全6巻 新沢基栄
- バオー来訪者 全2巻 荒木飛呂彦
- 幽☆遊☆白書 全19巻 冨樫義博
- レベルE 全3巻 冨樫義博
- 狼なんて怖くない!! 冨樫義博
- 魔神冒険譚ランプ・ランプ 全3巻 小畑健 泉藤進
- YAKSAーヤシャー 全7巻 ハヤトコウジ
- キック・ザ・ちゅう 全8巻 なかいま強 杉崎守
- Because… 全5巻 棟居仁・滝井寿紀

- 流星超人ズバーン 全3巻 黒岩よしひろ
- 鬼神童子ZENKI 全12巻 谷菊秀 黒岩よしひろ
- 幕張 全9巻 木多康昭
- 究極!!変態仮面 全6巻 あんど慶周
- 地獄先生ぬ〜べ〜 全31巻 真倉翔 岡野剛
- 七つの海短編集1 岩泉舞
- HARELUYA 梅澤春人
- LOVE&PEACE 梅澤春人
- BØYーボーイー 全33巻 梅澤春人
- アウターゾーン 全15巻 光原伸
- PSYCHO+サイコプラス 全2巻 藤崎竜
- ふたば君チェンジ♡ 全8巻 あろひろし
- ライバル 全14巻 柴山薫
- 爆骨少女ギリギリぷりん 全7巻 柴山薫
- 陣内流柔術武闘伝真島クンすっとばす!! 全15巻 にわのまこと
- THE MOMOTAROH 全10巻 にわのまこと
- 超機動暴発蹴球野郎リベロの武田 全9巻 にわのまこと
- 復刻版BADだねヨシオくん! 全4巻 浅田弘幸
- 明稜帝梧桐勢十郎 全10巻 かずはじめ
- イレブン 全43巻 高橋広 七三太朗
- ノー・トラップ 全2巻 山下東七郎
- エンジェル伝説 全15巻 八木教広
- KiーJファイターズ 全2巻 九十九森 武藤かつひろ
- BIDASH 全5巻 松枝尚嗣
- ジャンプ放送局VTR 全24巻
- ホップ☆ステップ賞SELECTION 全19巻